Bali™

a la varicelle

– Au docteur François, qui soigne les petits
et les gros bobos des petits cocos.
M.

– À Maïwenn, Enora et Yves.
L. R.

Bali

Papa

Maman

www.editions.flammarion.com
ISBN : 978-2-0816-3295-0 – N° d'édition : L.01EJDNFP3295.C007
TM Bali est une marque déposée de Flammarion

Magdalena

Bali™

a la varicelle

Laurent Richard

Père Castor ■ Flammarion

Ce matin au réveil,
Bali a de drôles de boutons sur le front,
sur les joues, et même dans le cou.

– Ça pique un peu, beaucoup, partout,
se plaint Bali, qui commence à se gratter.

– Voyons cela de plus près, dit Maman.

Maman regarde Bali de la tête aux pieds :
– Oh ! Oh ! On va faire venir le docteur,
il connaît les boutons par cœur !

Le docteur ausculte Bali et dit :
– Tu as attrapé la varicelle, mon ami.
Dans une semaine tu seras guéri,
mais en attendant, il te faut du sirop
et une lotion pour ta peau.

Maman met du produit rouge
sur les boutons de Bali.

– C'est la maladie du petit Indien ! annonce-t-elle.

– Regarde, je dessine des ronds rouges
qui te changent en Peau-Rouge,
dit Maman en soignant Bali.

– Je veux aussi des traits
pour faire le guerrier indien !
réclame Bali.

Quand Maman a fini,
Bali chante :
– Hi ho hi ho, je suis Bali le chef indien !
Il me manque juste une plume
et un bandeau.

– Et maintenant au lit,
mon petit Indien ! dit Maman.

– D'accord !
Mais dans ma tente alors.

Imprimé en Espagne par Edelvives en janvier 2013 – Dépôt légal : mars 2008
Éditions Flammarion – 87, quai Panhard-et-Levassor – 75647 Paris Cedex 13
Loi n° 49-956 du 16 juillet 1949 sur les publications destinées à la jeunesse